CZAROWNiCA IRENKA

WYDAWNICTWO BAJKA

Agnieszka Żele...

wiosna

Każda czarownica ma swój domek!

Czary-mary i... mam przyjaciela!

lato

Wyprawa

jesień

Trip, trip! Trip, trip! Trip, trip...

Czytanie chroni przed katarem

Kto uratuje piękną królewnę?

zima

PINGWINY
MAJĄ MALUTKIE
SKRZYDEŁKA,
ZBYT MAŁE,
BY LATAĆ.

Idą ferie – lecą goście!

Choinka

Narysuj lub wyczaruj!

Zapraszam do mojego domku!

Umebluj domek mojej nowej sąsiadce!

Pajączek postanowił ozdobić pokój pajęczynami.
Pomóż mu dokończyć pracę.

Co z nich wyrośnie...?

Szczurkosław

Ogryzek

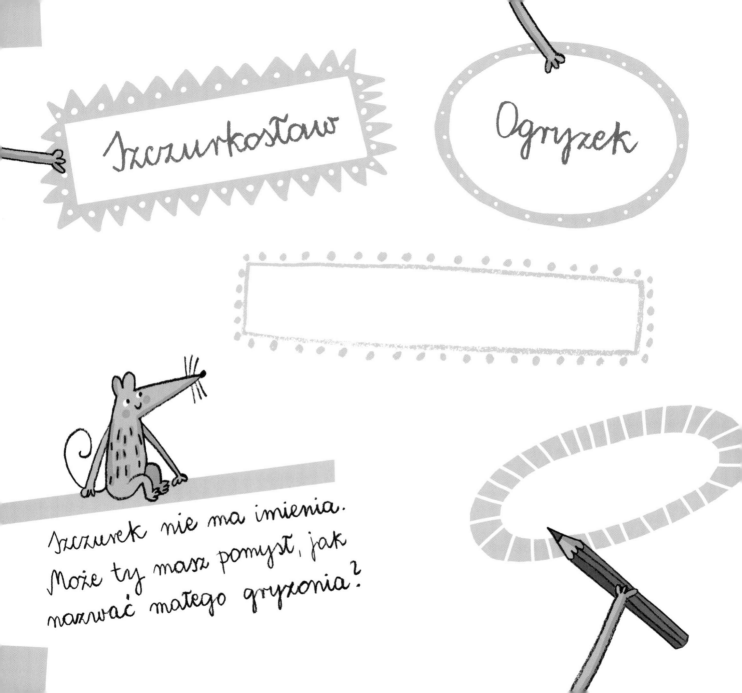

Szczurek nie ma imienia.
Może ty masz pomysł, jak
nazwać małego gryzonia?

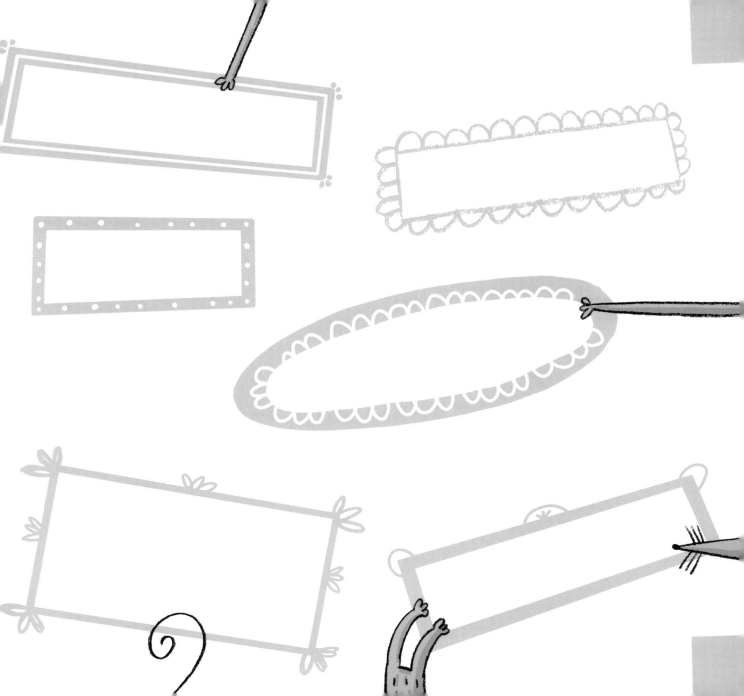

W co się ubrać na bal czarownic?

Potrafisz mnie narysować? To proste!

A teraz narysuj moje przyjaciółki.

czarownica Grażynka

czarownica Bożenka

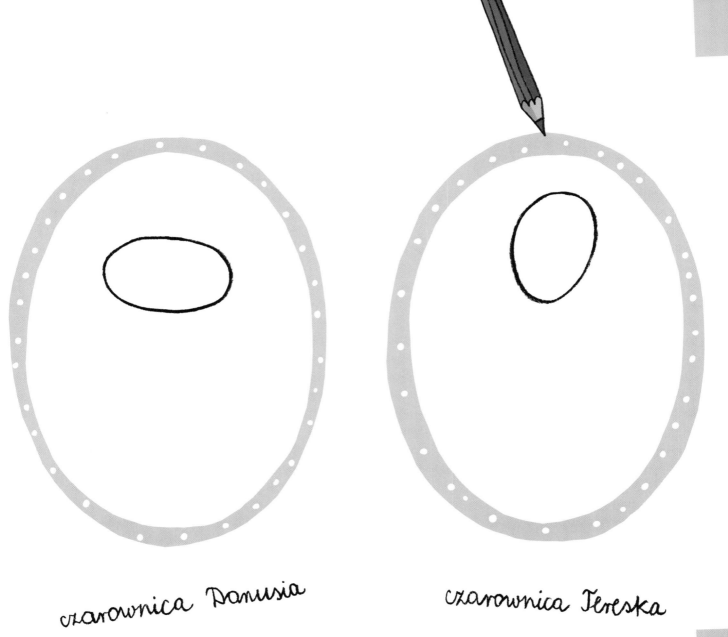

czarownica Danusia   czarownica Tereska

Dorysuj ciąg dalszy tej historyjki:

Przygoda z ufoludkiem

Co było dalej? Masz pomysł?

Irenka i ja

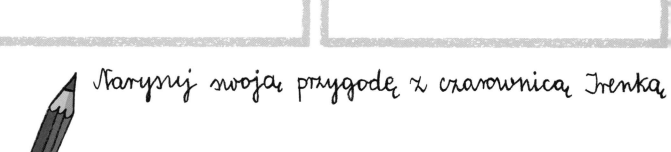

Narysuj swoją przygodę z czarownicą Irenką

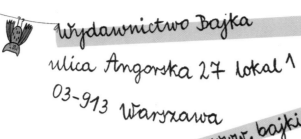

Wydawnictwo Bajka
ulica Angorska 27 lokal 1
03-913 Warszawa
www.bajkizbajki.pl

Przygody Irenki wymyśliła i narysowała Agnieszka Żelewska.
Nad powstaniem książki czuwała Katarzyna Krantyr-Królikowska.

Do druku przygotował Mateusz Kowalski / Oku Miłe.
Wydrukowały Olsztyńskie Zakłady Graficzne OZGraf.

Wydanie pierwsze   Warszawa 2018

ISBN 978-83-65479-32-7